Moore, P
Les com{
{226}etc

D1001442

LE CIEL ÉTOILÉ

Les Comètes et les Étoiles Filantes

Patrick Moore

Illustré par Paul Doherty • Traduit par Christel Delcoigne

GAMMA • ÉDITIONS ÉCOLE ACTIVE

Titre original - *Comets and Shooting Stars*

Conçu et produit par
Aladdin Books Ltd
28 Percy Street
London W1P 0LD

Dépôt légal : janvier 1997, Bibliothèque nationale.
ISBN 2-7130-1800-5

Exclusivité au Canada :
Éditions École Active
2244, rue de Rouen
Montréal, Qué, H2K 1L5
Dépôts légaux : 1er trimestre 1997,
Bibliothèque nationale du Québec,
Bibliothèque nationale du Canada.
ISBN 2-89069-537-9.

Adaptation française de Christel Delcoigne
Corrections : Anne-Christine Lehmann
Mise en page : Liz White

Imprimé en Belgique

Loi n° 49-956 du 16 juillet 1949 sur les publications destinées à la jeunesse

Les illustrations de cet ouvrage sont de Paul Doherty.
Des illustrations supplémentaires sont de Mike Lacey et Ian Thompson.

*Je remercie tout particulièrement Paul Doherty pour ses splendides illustrations
et Lynn Lockett pour son aide et son encouragement.*
P.M.

Sommaire

Le Soleil et sa famille
5
La Terre et son atmosphère
6
Les étoiles filantes
8
Comment se forme une étoile filante
11
Les pluies d'étoiles filantes
12
Les comètes
14
Le mouvement des comètes
16
La queue de la comète
19
La comète de Halley
20
Les pierres de l'espace
23
Index
24

Le Soleil et la Lune vus depuis la Terre.

Le Soleil et sa famille

Soleil

Terre

Le Soleil éclaire la Terre. Il est si lumineux qu'il ne faut jamais le regarder directement, car tu pourrais t'abîmer les yeux. La Terre met 365 jours pour faire le tour complet du Soleil. Huit autres planètes tournent autour du Soleil. Certaines ont des lunes. La Terre a également une lune. Celle-ci n'émet pas de lumière. Elle paraît lumineuse parce qu'elle est éclairée par le Soleil. Il y a encore beaucoup d'autres corps célestes, comme les étoiles filantes et les comètes, dans la famille du Soleil, qu'on appelle le système solaire.

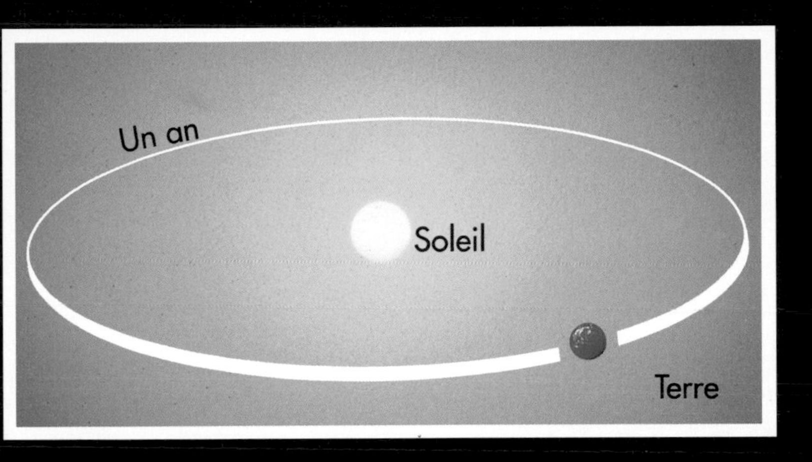

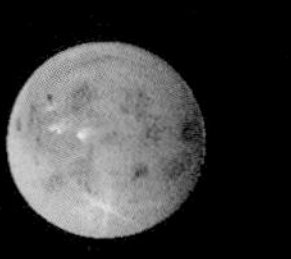

Terre

La Terre et son atmosphère

La Terre a la forme d'un ballon. Nous vivons sur sa surface. Nous ne nous envolons pas, car une force, que nous appelons gravité, nous maintient sur le sol. Si tu jettes une pierre en l'air, elle retombera parce que la force de gravité de la Terre l'attire vers le bas. L'air qui nous entoure est constitué de gaz, dont l'oxygène. Notre atmosphère ne s'étend pas jusque dans l'espace. Plus on monte, plus l'oxygène se raréfie.

Au sommet des montagnes, il devient très difficile de respirer. Dans l'espace, il n'y a plus d'air du tout.

À grande altitude, les alpinistes doivent porter un masque à oxygène.

Dans l'espace, les astronautes flottent car ils ne sont plus soumis à la force de gravité de la Terre.

Les étoiles filantes

Si tu observes le ciel pendant une nuit sans nuages, tu verras des étoiles. Peut-être que tu auras la chance de voir passer rapidement un trait de lumière à travers le ciel. C'est un météorite, que nous appelons étoile filante.

En fait, ce sont des fragments de roche provenant de l'espace et qui brûlent en tombant dans les couches supérieures de l'atmosphère terrestre. Certains météorites brillent très fort, mais disparaissent en quelques secondes. Ils se consument bien avant d'atteindre le sol.

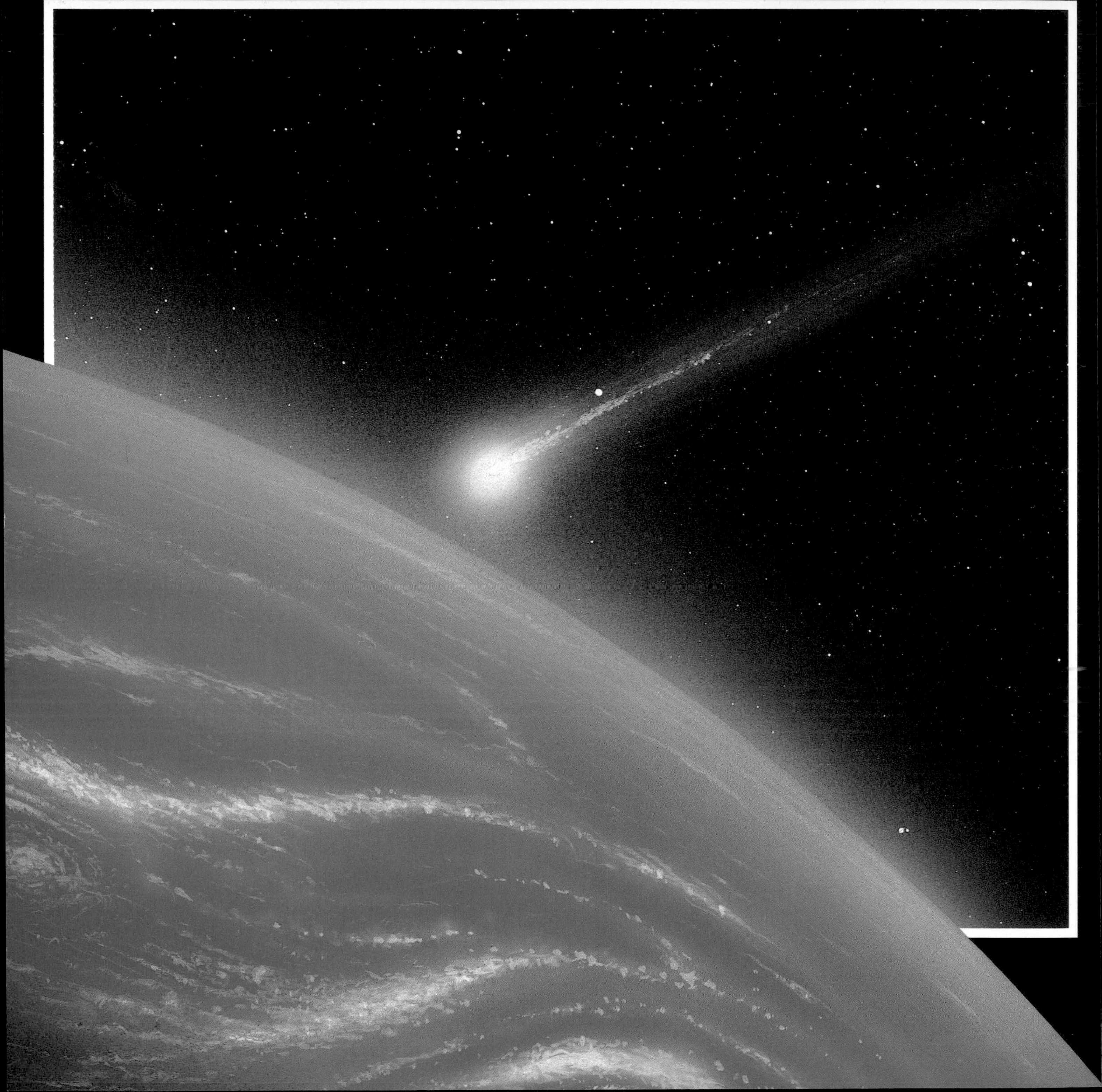

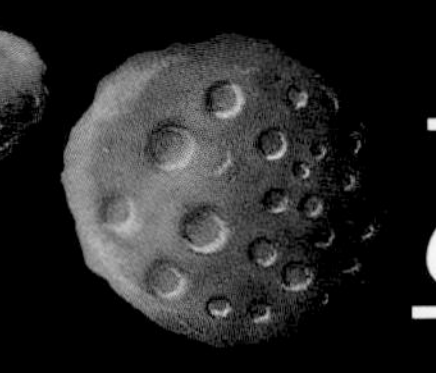

Comment se forme une étoile filante

Un météorite se déplace autour du Soleil, tout comme la Terre. Nous ne pouvons pas le voir dans l'espace parce qu'il est trop petit. Nous l'apercevons dès qu'il entre dans les couches supérieures de l'atmosphère terrestre. Il est tellement chauffé par le frottement de l'air qu'il s'enflamme et se consume, comme lorsque tu gonfles les pneus de ton vélo : ta pompe se met à chauffer parce qu'elle comprime l'air et provoque un frottement avec un dégagement de chaleur.

Les pluies d'étoiles filantes

Les météorites tournent autour du Soleil en groupes. Lorsque la Terre traverse l'un de ces groupes, un grand nombre de météorites tombent dans l'atmosphère terrestre sous la forme d'une pluie d'étoiles filantes.

Cela se produit plusieurs fois par an, mais le meilleur moment pour observer ce phénomène est le mois d'août, lorsque la Terre passe au travers d'un groupe serré de météorites. Si, entre la fin du mois de juillet et le 17 août environ, tu observes la nuit un ciel sans nuages, tu auras probablement la chance de voir passer plusieurs étoiles filantes.

Une pluie d'étoiles filantes.

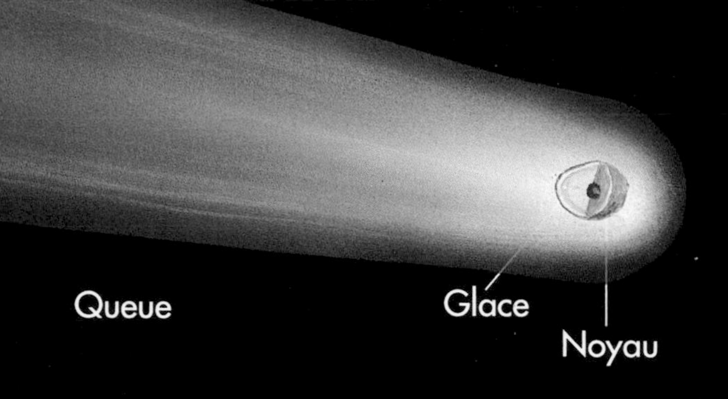

Les comètes

Elles tournent autour du Soleil, mais elles ne ressemblent ni à la Terre, ni aux autres planètes. Une comète est faite de glace et de poussières de roche. En se déplaçant dans l'espace, elle laisse une traînée de poussières derrière elle. Cette traînée de poussières forme la queue de la comète. Ce sont ces fragments de roche, ou météorites, qui, lorsqu'ils tombent dans l'atmosphère terrestre, forment ce que nous appelons les étoiles filantes.

Étoiles filantes

Les comètes se situent très loin dans l'espace. Tu devras observer une comète pendant de longues heures avant de remarquer qu'elle a un peu bougé.

Une comète s'approchant du Soleil.

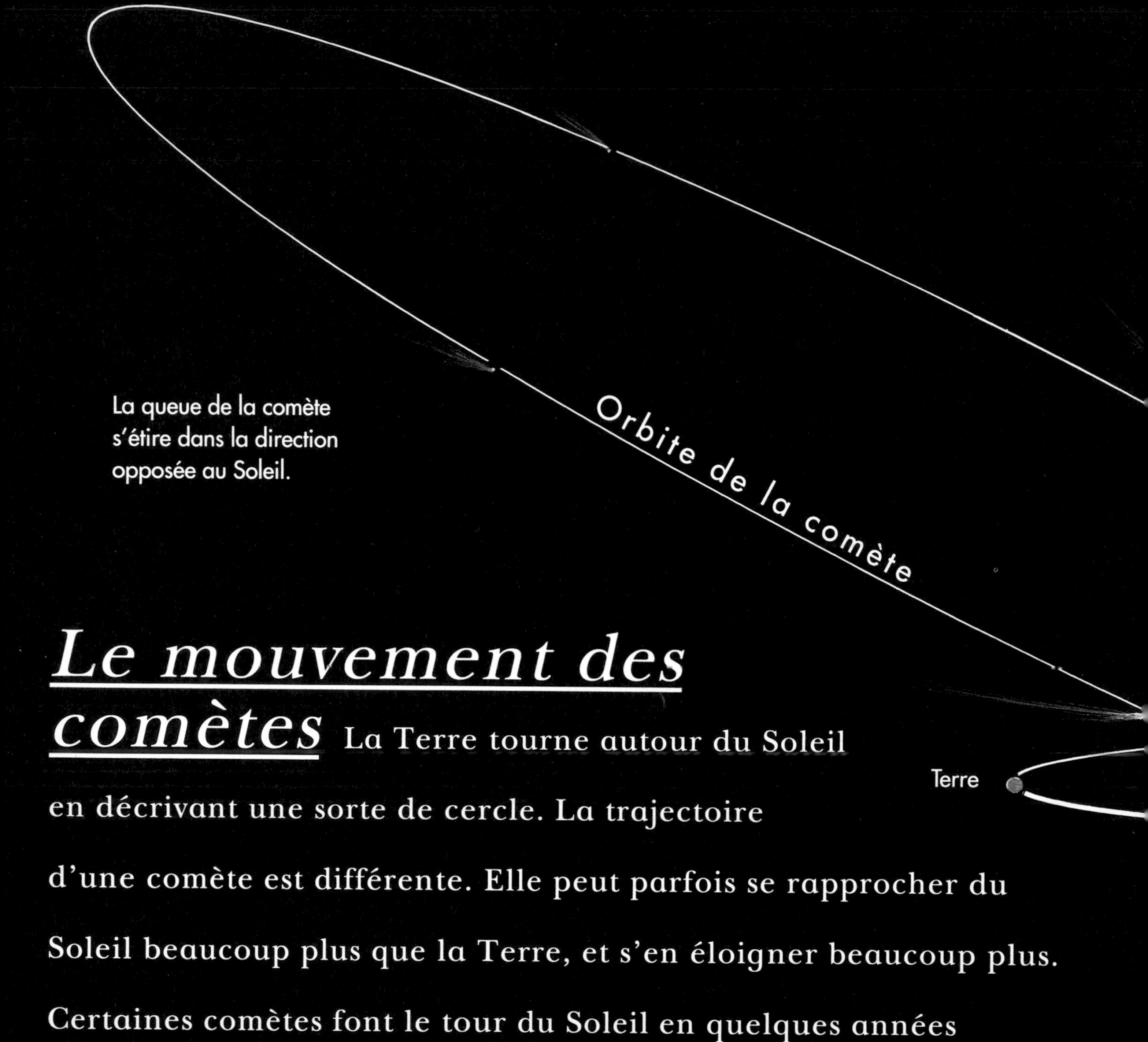

Le mouvement des comètes

La Terre tourne autour du Soleil en décrivant une sorte de cercle. La trajectoire d'une comète est différente. Elle peut parfois se rapprocher du Soleil beaucoup plus que la Terre, et s'en éloigner beaucoup plus. Certaines comètes font le tour du Soleil en quelques années seulement ; d'autres mettent plusieurs centaines d'années ou même des millénaires. Une comète brille uniquement parce qu'elle est éclairée par le Soleil. Elle brille donc lorsqu'elle est proche de nous. Lorsqu'elle est très éloignée du Soleil, nous ne la voyons plus, parce que son éclat est très faible.

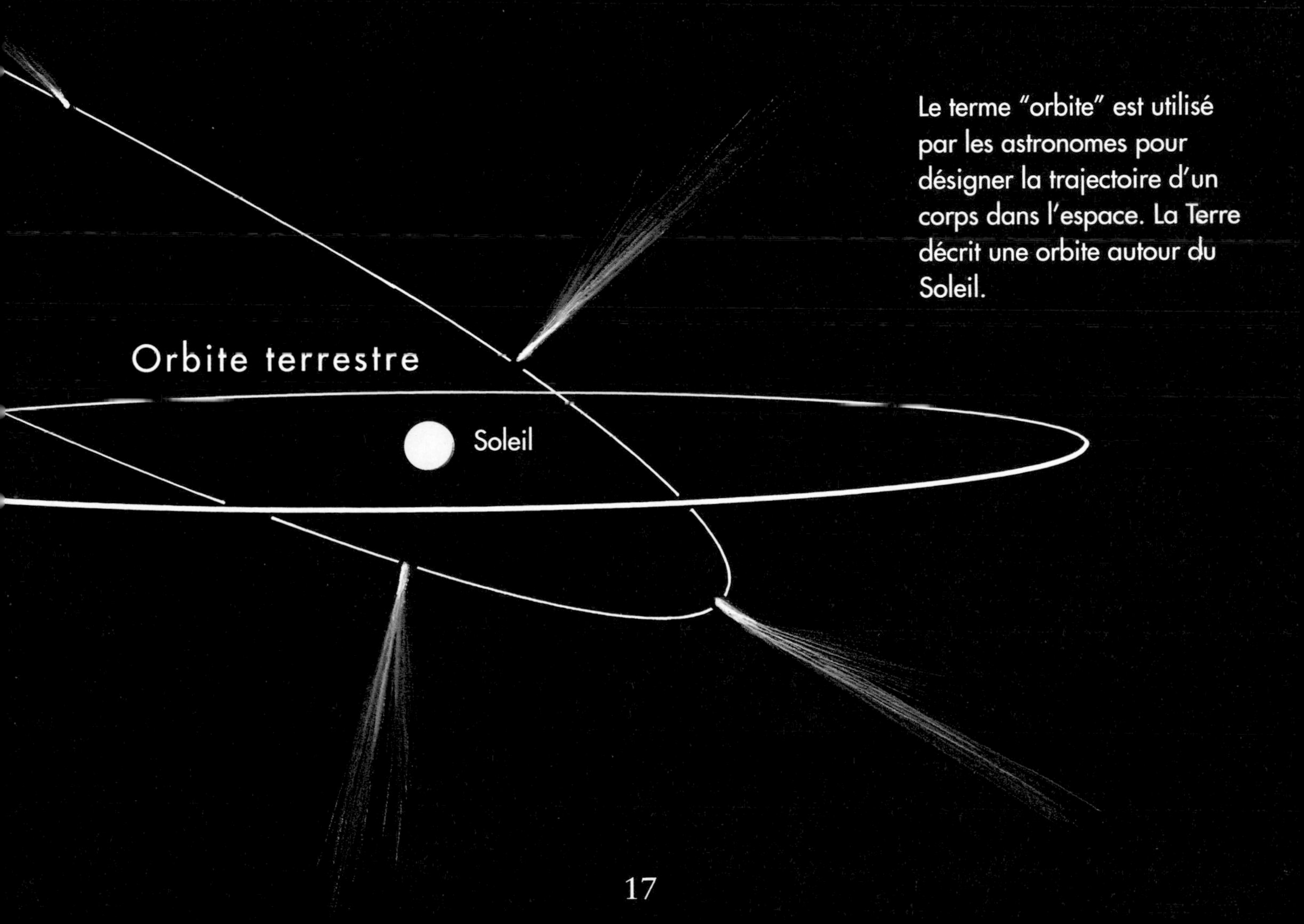

Le terme "orbite" est utilisé par les astronomes pour désigner la trajectoire d'un corps dans l'espace. La Terre décrit une orbite autour du Soleil.

Les gaz et les poussières s'échappant du noyau forment la chevelure et la queue de la comète.

La queue de la comète

Lorsqu'une comète se trouve loin du Soleil, elle est très froide : ce n'est qu'un noyau de roches et de gaz gelés. Lorsqu'elle s'approche du Soleil et se réchauffe, les gaz du noyau s'évaporent et, avec des poussières, forment une chevelure, autour du noyau, et une longue queue qui s'étire.

Les comètes de grande taille peuvent avoir une très longue queue. Autrefois, des comètes sont devenues si brillantes qu'elles ont projeté des ombres. Aucune comète de ce type n'a été vue sur Terre depuis bien des années.

La comète de Halley

Du nom de l'astronome anglais qui l'observa pour la première fois en 1681-1682, la comète de Halley est la comète la plus célèbre. Elle passe tous les 76 ans près du Soleil. Elle a traversé le ciel juste avant la bataille de Hastings, en 1066, lorsque Guillaume le Conquérant débarqua en Angleterre. Lors de son dernier passage en 1986, la sonde spatiale *Giotto* passa à 600 km de son noyau et renvoya de superbes photographies du bloc de glace qui le compose. La comète de Halley s'est actuellement éloignée du Soleil et ne brille plus assez pour que nous la voyions. Nous savons cependant où elle se trouve. Lors de son prochain passage, vers 2061, tu auras peut-être la chance de la voir !

La tapisserie de Bayeux, montrant la comète de Halley, date d'environ 1077.

La sonde *Giotto* passant près de la comète de Halley.

Grand cratère creusé par un météorite en Arizona, aux États-Unis.

Les pierres de l'espace

Si le bloc de roche qui traverse l'atmosphère de la Terre est assez gros, il ne se consumera pas, mais s'écrasera sur le sol. C'est un météorite. La plupart des météorites sont faits de roche ou de métal. Certains musées en possèdent de belles collections. Ils ne viennent pas de comètes, mais errent dans l'espace.

Aux États-Unis, le cratère creusé par un météorite tombé il y a très longtemps a un diamètre de 1300 m et une profondeur de 175 m. Si la Terre était frappée aujourd'hui par un météorite de cette taille, cela provoquerait bien des dégâts. Heureusement, le risque est minime. En fait, personne n'a jamais été tué par la chute d'un météorite. Tu peux donc observer le ciel nocturne en toute tranquillité !

Index

atmosphère 6

comètes 14-21
 chevelure 18-19
 de Halley 20-21
 queue 16, 18-19
cratère 22-23

espace 6-7
étoiles filantes 8-14
 pluies de 12-13

frottement 11

gaz 6, 18-19
Giotto 20-21
gravité 6-7

lunes 4-5

météorites 8-14,
 22-23

orbite 16-17

planètes 5

Soleil 4-5, 16
sonde spatiale 20-21
système solaire 4-5

tapisserie de Bayeux
 20
Terre 4-6, 6, 12, 16